Écrit par : Nicole Lebel
Illustré par : Francis Turenne
Révision : Liara-Caroline Brault

Phil & Sophie : Je suis responsable
ISBN : 978-2-924044-79-7
Dépôt légal - Bibliothèque et Archives nationales du Québec, 2014
Dépôt légal - Bibliothèque et Archives Canada, 2014

Imprimé au Canada

Créé et publié par Fablus

Fablus.ca

je suis responsable

À leur arrivée à l'école, tous les amis de la classe de Sophie accrochent leurs vestes et leurs sacs sur leurs crochets.

Sophie
Dao
Maya

Tous... sauf Sophie.

Sophie
Dao
Maya

Tessa est distraite et ne regarde pas trop où
elle met les pieds en se rendant en classe.

BOUM !
Elle s'accroche dans le fouillis de Sophie
et se retrouve au sol !

Sophie
Dao

Si Sophie avait rangé ses choses comme tous les amis de la classe, Tessa ne se serait sûrement pas retrouvée par terre.

« Oh, je suis désolée, Tessa ! Je vais ranger mon sac et mon manteau pour que le corridor soit plus sécuritaire. »

En réponse à cet incident, leur enseignante fait un retour sur les responsabilités. « Nous rangeons les objets pour que tout le monde soit en sécurité et pour que nous retrouvions nos choses quand on en a besoin. C'est très important aussi de mettre les déchets à la poubelle, sinon la classe aurait l'air d'un vrai dépotoir et quelqu'un pourrait glisser sur une peau de banane ! »

Elle ajoute :

« Si personne ne nourrissait
Poico, le poisson rouge de la classe, il aurait
probablement très faim et serait très malheureux.
Puisque nous l'avons mis dans un aquarium,
il ne peut pas se nourrir lui-même, il a besoin
de nous. Nous sommes responsables
de son bien-être. »

L’enseignante demande à la classe :
« Comment vous sentez-vous quand
c’est à votre tour de nourrir Poico ? »
Maya lève la main et répond :
« Je suis très fière de moi,
car je prends bien soin de lui. »

« Merci, Maya, dit l’enseignante.
Avez-vous d’autres exemples de
responsabilités à me nommer ? »

Phil lève la main et répond :
« Parfois, papa me demande d'être son assistant dans la cuisine, une de mes responsabilités préférées est de mélanger les ingrédients de la pâte à crêpe. J'aime ça parce que je sais que papa me fait confiance et que je suis capable de l'aider dans la cuisine. »

Sophie ajoute :

« Des fois, je tiens la laisse de mon chien Poncho.
Je sais que je suis capable de bien veiller sur
Poncho en lui donnant aussi à boire et à manger.
Je suis très fière de moi quand mes parents
me confient des tâches. »

S

Quand chacun fait sa part,
on se sent tous importants !

Et toi, quelle est ta responsabilité favorite ?
Fais comme Sophie, participe aux tâches
avec le sourire et tu pourras aussi dire :
je suis responsable !

Déjà parus dans la même collection :

1. Je suis franc
2. Je suis courageuse
3. Je suis optimiste
4. Je suis reconnaissant
5. Je suis patient
6. Je suis serviable
7. Je suis persévérant
8. Je suis écolo
9. Je suis calme
10. Je suis généreux
11. Je suis respectueux
12. Je suis responsable

Ministoires[MD] à colorier et certificats gratuits sur fablus.ca

fablus.ca